# Mis amigos de la Biblia

Para
Brian y Bruce
Randy y Diana

y
para todos los niños y niñas
que aman las historias de la Biblia

Título de este libro en inglés: *My Bible Friends*
Versión castellana: Lourdes Morales-Gudmundsson

Editado e impreso por
PUBLICACIONES INTERAMERICANAS
División Hispana de la Pacific Press® Publishing Association:
  • P.O. Box 5353, Nampa, Idaho 83653-5353, EE.UU. de N. A.

ISBN 0-8163-9916-6
Offset in U.S.A.

98 99 00 • 8 7 6

# Mis amigos de la Biblia

**Etta B. Degering / Tomo 3**

Ilustraciones: William Dolwick, Manning de V. Lee y Robert L. Berran

*Historias que aparecen en este tomo:*

"Ve y lávate en el río"  Un cuarto para el profeta
Elías y la sequía  Panecillos de cebada y peces

PUBLICACIONES INTERAMERICANAS
Pacific Press® Publishing Association
Nampa, Idaho

# "Ve y lávate en el río"

La criadita se encontraba muy lejos de su casa.
Servía al capitán Naamán y a su señora.
Lavaba los platos y hacía encargos.
Hacía todo lo que le pedían
  el capitán Naamán y la señora,
  todo, menos una cosa.
Una cosa la pequeña criada nunca hacía.

El capitán y la señora oraban a un ídolo,
 un ídolo feísimo, hecho de piedra.
El ídolo no podía ver ni oír.
Cada vez que el capitán y la señora invitaban a la criadita
 a orar con ellos ante el ídolo, les contestaba:
—Oh, no, no puedo orar a un ídolo.
 Yo oro al Dios del cielo.
 El me ve y me oye.

Una mañana, cuando la criadita le llevó el desayuno
a la señora de Naamán, la encontró llorando.
—¿Por qué llora usted? —preguntó la niña.
—Es que el capitán Naamán está muy enfermo.
Le han salido manchas de lepra
y los médicos no pueden sanarlo.

—Yo conozco a alguien que puede sanar al capitán Naamán
—dijo la criadita—.
Si él se presenta al profeta que vive allá
donde está mi casa,
el profeta va a saber cómo sanar al capitán.
La señora de Naamán le contó al capitán
lo que había dicho la criadita.

—Iré a ver al profeta —dijo el capitán Naamán—,
    y le llevaré regalos.
El capitán subió al mejor de sus carros,
    tirado por los caballos más veloces.
Algunos de sus soldados, montados a caballo, lo seguían.
Cuando llegaron a una curva del camino,
    el capitán Naamán saludó con la mano a su esposa,
    y saludó con la mano a su criadita.

El profeta vio que venían por el camino
el capitán Naamán y sus soldados.
Había sabido de la enfermedad del capitán.
Envió a su ayudante a encontrarse con Naamán
y a explicarle lo que debía hacer.
—Dile al capitán Naamán —indicó el profeta—
que se lave siete veces en el río Jordán y se sanará.

El capitán Naamán le dijo a sus soldados:

—¿Qué se ha creído ese profeta? ¿Que estoy sucio?
  ¿Se ha creído que necesito bañarme?
  De ninguna **manera me bañaré en un río tan sucio.**

El capitán estaba muy, pero muy furioso
  porque el profeta le había dicho
  que se lavara en el río.

—Me volveré a mi casa —dijo el capitán.

El capitán empezó el viaje de regreso.
Los soldados a caballo se acercaron y le dijeron:
—Pero, capitán, si el profeta le hubiera pedido
    que hiciera algo muy difícil,
    ¿no lo hubiera hecho usted?
    ¿Por qué no hacer esto tan fácil?
    ¿Por qué no se lava usted en el río?
El capitán Naamán lo pensó.
Por fin, hizo que los caballos
    tomaran el camino que llevaba al río.

El río estaba sucio, pero aun así
     el capitán entró al agua.
Se sumergió una vez bajo el agua.
Miró entonces sus manos y brazos.
Las manchas de lepra estaban todavía allí.

El capitán se hundió otra vez,
    pero las manchas estaban todavía allí.
Se hundió otra vez. Las manchas seguían allí.
Sus soldados observaban ansiosos desde la orilla
    cómo el capitán se sumergía una vez, otra vez, y otra vez.
Pero las manchas de lepra estaban todavía allí,
    tan grandes como siempre.
El capitán se hundió bajo el agua
    la séptima y última vez,
    y las manchas. . .

¡Las manchas habían DESAPARECIDO!
El capitán Naamán se miró las manos.
Miró sus piernas.
Miró todo el cuerpo
        pero no se encontró ni una sola manchita.
Toditas habían desaparecido. ¡Estaba SANO!
Sus soldados se alegraron y aplaudieron.

El capitán Naamán salió chapaleando del río.
De un salto subió al carro.
Los caballos salieron al galope hacia la casa del profeta
    para darle las gracias.
Todos sus soldados lo acompañaron al galope.

El capitán Naamán se inclinó delante del profeta
y le dio las gracias. Le ofreció los regalos
que había traído, pero el profeta dijo:
—No puedo recibir los regalos,
pues yo no lo sané a usted.
El Dios del cielo fue quien lo sanó.

El capitán Naamán y sus soldados se apresuraron
    en volver a casa.
La señora y la criadita
    estaban vigilando el camino, esperándolos.
El capitán, al verlas, las saludó desde lejos y se apresuró.
Cuando se acercó, gritó:
    —¡Estoy sano! ¡Estoy sano!

Ahora, cuando el capitán Naamán y su señora oraban,
no oraban al ídolo
que no podía ver ni oír.
Oraban al Dios del cielo
y la criadita oraba con ellos.
—Gracias, Dios del cielo
—oraba el capitán Naamán—.
Gracias por haberme sanado.

# Elías y la sequía

El rey Acab era un rey malo.
Hizo levantar ídolos de Baal y altares a Baal.
—Oren sólo a Baal —decía a la gente—, pues Baal
   nos manda la lluvia para hacer crecer las plantas
   en nuestros campos y nuestros jardines.
El rey Acab construyó también un templo
y en él puso al feo ídolo de Baal.
—Oren sólo a Baal —les decía—, Baal envía la lluvia.

El profeta Elías miraba el templo de Baal
desde su casita de piedra en las montañas,
y se echaba a llorar, de tan triste que se ponía.
Un día, Dios dijo al profeta Elías:
—Yo les enseñaré al rey y al pueblo
que yo, el Señor, soy quien envía la lluvia,
y no el ídolo Baal.
Ve y dile al rey Acab que no habrá ni rocío ni lluvia
hasta que el pueblo de Israel se aparte de los ídolos.

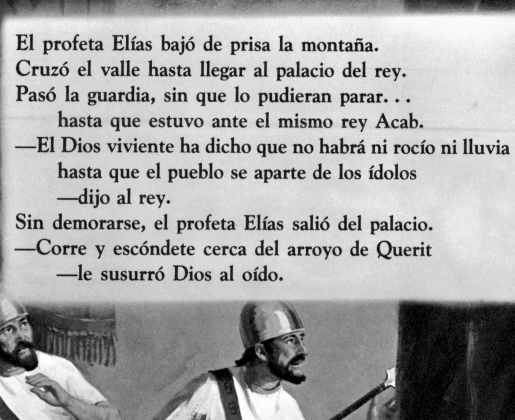

El profeta Elías bajó de prisa la montaña.
Cruzó el valle hasta llegar al palacio del rey.
Pasó la guardia, sin que lo pudieran parar. . .
    hasta que estuvo ante el mismo rey Acab.
—El Dios viviente ha dicho que no habrá ni rocío ni lluvia
    hasta que el pueblo se aparte de los ídolos
      —dijo al rey.
Sin demorarse, el profeta Elías salió del palacio.
—Corre y escóndete cerca del arroyo de Querit
    —le susurró Dios al oído.

—¡Agarren a Elías! ¡Deténganlo! —gritó el
    ¡No lo dejen escapar!
Pero Elías ya se había escapado.
Los soldados corrieron por todas partes, b
Fueron a su casa en las montañas,
    pero Elías no estaba allí.
Lo buscaron por los campos,
    pero Elías no estaba allí.
Hasta el mismo rey Acab se puso a busca
    pero nadie pudo encontrar a Elías.

Elías se escondió junto al arroyo de Querit.
Allí tomaba del agua clara y fresca del arroyuelo.
Todas las mañanas después de la salida del sol,
y todas las tardes antes de ponerse el sol,
Dios le enviaba comida con los cuervos.
Elías vivió muchos días junto al arroyo de Querit.
Los animales del bosque se hicieron sus amigos.

Como no había llovido por mucho tiempo, la hierba
se secó, las hojas se cayeron de los árboles
y no había nada que cosechar en los campos.
Finalmente, el arroyo de Querit se secó
y Elías ya no tuvo más agua para tomar.
Pero Dios no se olvidó de él: Dios nunca nos olvida.
—Ve a la ciudad de Sarepta —dijo Dios a Elías—.
Yo he mandado que una viuda que vive allí
te dé comida y agua.

La viuda de Sarepta recogía leña cerca de la ciudad cuando la encontró el profeta Elías.

Elías le pidió algo de beber y de comer.

—Sólo tengo un puñado de harina y un poco de aceite —dijo la viuda—. Estoy juntando unas ramitas secas

para preparar el último panecillo
para mi hijo y para mí; luego moriremos.
—No tengas temor —le dijo Elías—. Prepárame a mí
primero el panecillo, pues Dios ha dicho que no
te faltará ni harina ni aceite, hasta que llueva.

La viuda hizo un panecillo para el profeta Elías
   y le sacó agua del pozo;
   le preparó también un cuarto, en lo alto de la casa.
Y sucedió tal como Dios había dicho. Cada mañana
   había un puñado de harina en el barril,
   y un poco de aceite en la botija,
   lo suficiente para el pan diario.
Y Dios hizo que siempre hubiera agua en el pozo.
Así, durante el tiempo de sequía, la viuda, su hijo,
   y Elías tuvieron pan para comer y agua para beber.

Pasaron tres años sin lluvia.
Un día, Dios dijo al profeta Elías:
—Ve y preséntate al rey Acab
    y yo enviaré lluvia sobre la tierra.
El profeta Elías volvió a la tierra de Israel.
En el camino se encontró con el rey Acab
    quien le puso mala cara.
—¿Con que eres tú el que alborota a todo Israel?
—No soy yo quien alborota en Israel sino tú
    por haberte apartado de Dios —dijo el profeta—.
    Llama a todo el pueblo de Israel al Monte Carmelo
    y reúnelo conmigo y con todos los profetas de Baal.

El rey Acab hizo lo que le pidió el profeta Elías.
Juntó a todo el pueblo de Israel
　　y a todos los profetas de Baal en el Monte Carmelo.
Elías mostraría a todos ese día
　　quién era en Israel el Dios verdadero.

—Levantemos dos altares —dijo Elías—,
uno para el Señor y otro para Baal. Pongamos
leña en los altares y una ofrenda sobre la leña.
El Dios que conteste con fuego, EL ES DIOS.
—Que así sea —respondió todo el pueblo.

Los profetas de Baal levantaron su altar
y pusieron leña sobre el altar
y una ofrenda sobre la leña.
Oraron a Baal desde la mañana hasta el mediodía:

—¡Oh, Baal, escúchanos! ¡Escúchanos, oh Baal!
Pero no hubo respuesta.
Entonces se pusieron a gritar más fuerte aún.
Saltaron y brincaron alrededor del altar; aun se cortaron
hasta que les salió sangre, pero no hubo respuesta.

Al llegar la tarde, Elías dijo al pueblo:
—Acérquense a mí —y todos se acercaron.
Elías construyó un altar al Señor, y cavó
una zanja alrededor y puso leña
encima del altar y una ofrenda encima de la leña.

Luego echó agua sobre el altar
    hasta que se mojó todito y llenó la zanja.
La gente miraba y esperaba.
Mirando hacia el cielo, Elías oró:
—Oh Señor, haz que se sepa hoy que tú eres Dios.

Antes que Elías dijera Amén,
    bajó fuego del cielo como un relámpago.
Quemó la ofrenda. Quemó la leña.
Hasta quemó las piedras del altar
    y el agua de la zanja.
Toda la gente gritó a una voz:
—¡EL SEÑOR, EL ES DIOS! ¡EL SEÑOR, EL ES DIOS!
Dios los oyó y quedó muy contento. Aquella misma noche
    les envió una gran lluvia para regar la tierra.

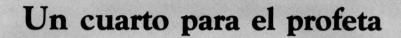

# Un cuarto para el profeta

La sunamita estaba parada en la entrada
   de su casa de adobe con techo plano.
Con la mano se hacía sombra a los ojos,
   esforzándose para ver quiénes bajaban
   por el camino polvoriento que pasaba enfrente.
—Es el profeta Eliseo y su ayudante —dijo a su marido,
   que afilaba una hoz—. El profeta camina
   como si estuviera muy cansado.
Los invitaré a que descansen y a que coman pan
   y beban agua con nosotros.

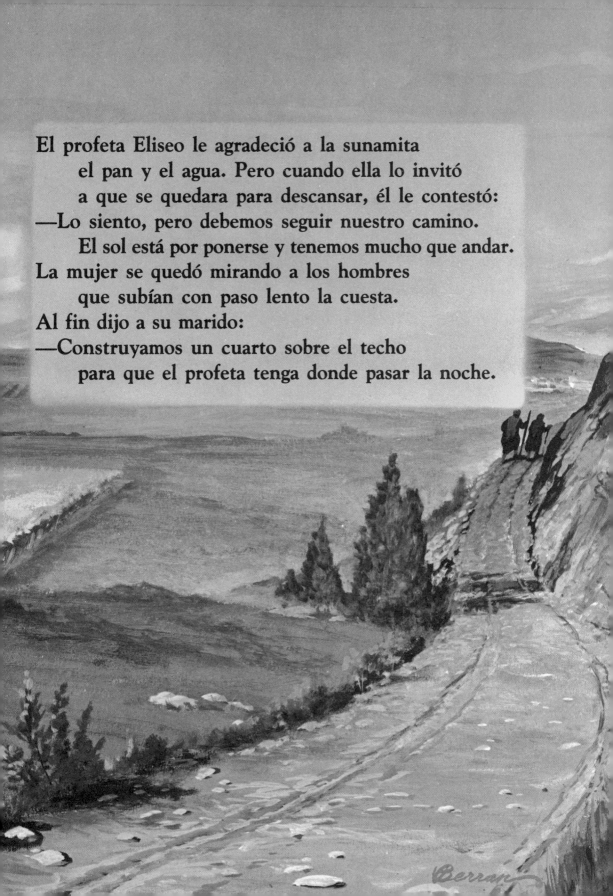

El profeta Eliseo le agradeció a la sunamita
el pan y el agua. Pero cuando ella lo invitó
a que se quedara para descansar, él le contestó:
—Lo siento, pero debemos seguir nuestro camino.
El sol está por ponerse y tenemos mucho que andar.
La mujer se quedó mirando a los hombres
que subían con paso lento la cuesta.
Al fin dijo a su marido:
—Construyamos un cuarto sobre el techo
para que el profeta tenga donde pasar la noche.

Ladrillo sobre ladrillo, unidos con argamasa,
la sunamita y su esposo construyeron
un cuarto sobre el techo de la casa.
Los ladrillos eran de barro, secados al sol.
Ladrillo sobre ladrillo, unidos con argamasa,
construyeron las paredes.
Le hicieron un techo plano
y unas escaleras que subían hacia él.

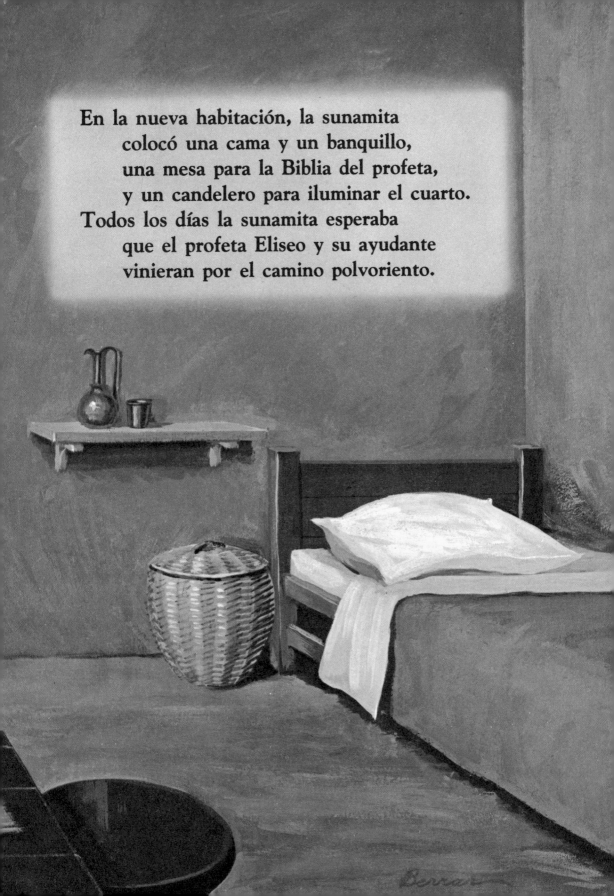

En la nueva habitación, la sunamita
coloció una cama y un banquillo,
una mesa para la Biblia del profeta,
y un candelero para iluminar el cuarto.
Todos los días la sunamita esperaba
que el profeta Eliseo y su ayudante
vinieran por el camino polvoriento.

Una tarde el profeta y su ayudante pasaron por allí.
La sunamita los invitó a que cenaran
　　y a que se quedaran allí esa noche.
Cuando el profeta vio la nueva habitación, le agradó
　　muchísimo y preguntó:
—¿Qué podemos hacer para corresponder a tanta
　　bondad? ¿Podríamos interceder por ustedes ante
　　el rey o ante el capitán del ejército?
—No, mi señor —le contestó la sunamita—,
　　mi esposo y yo no queremos pago alguno.

Pero el profeta Eliseo quería corresponder
    con un favor la bondad
    de la sunamita y su esposo.
    ¿Qué podría hacer?
—Me he fijado
    que no tienen hijos —dijo el ayudante—.
Cuando la sunamita volvió a pararse en la entrada,
    el profeta Eliseo le dijo:
—Le pediremos a Dios que el próximo año
    en esta época, Él les envíe un hijo.
La sunamita quedó muy, pero muy contenta.

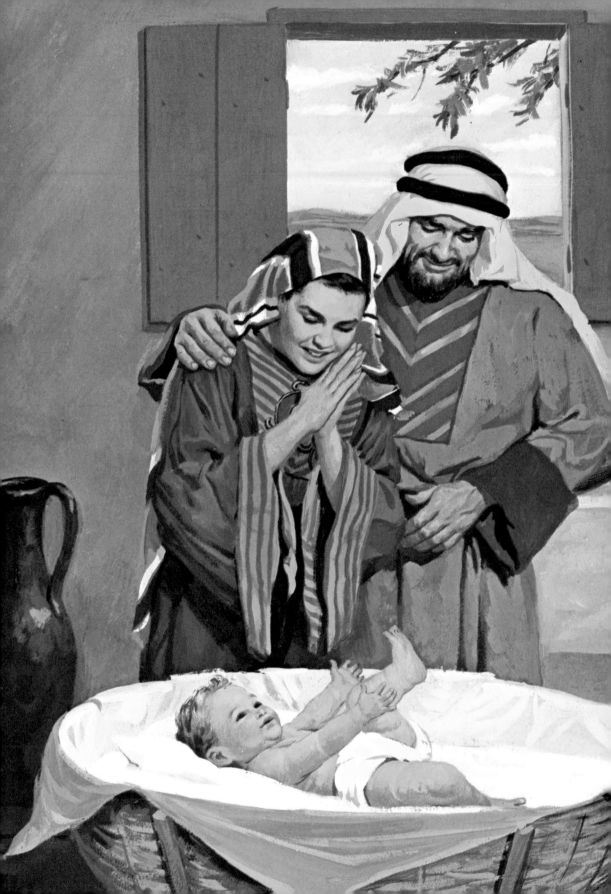

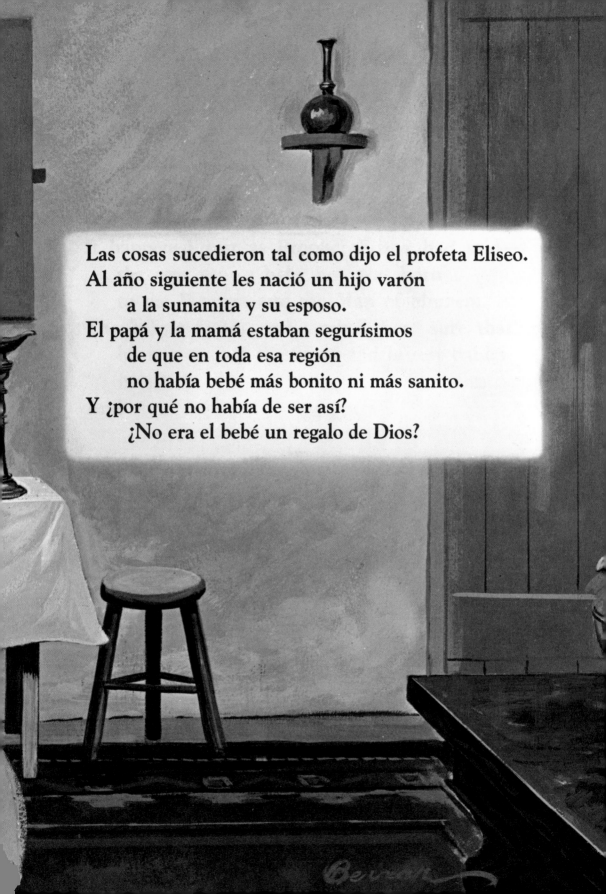

Las cosas sucedieron tal como dijo el profeta Eliseo.
Al año siguiente les nació un hijo varón
    a la sunamita y su esposo.
El papá y la mamá estaban segurísimos
    de que en toda esa región
      no había bebé más bonito ni más sanito.
Y ¿por qué no había de ser así?
    ¿No era el bebé un regalo de Dios?

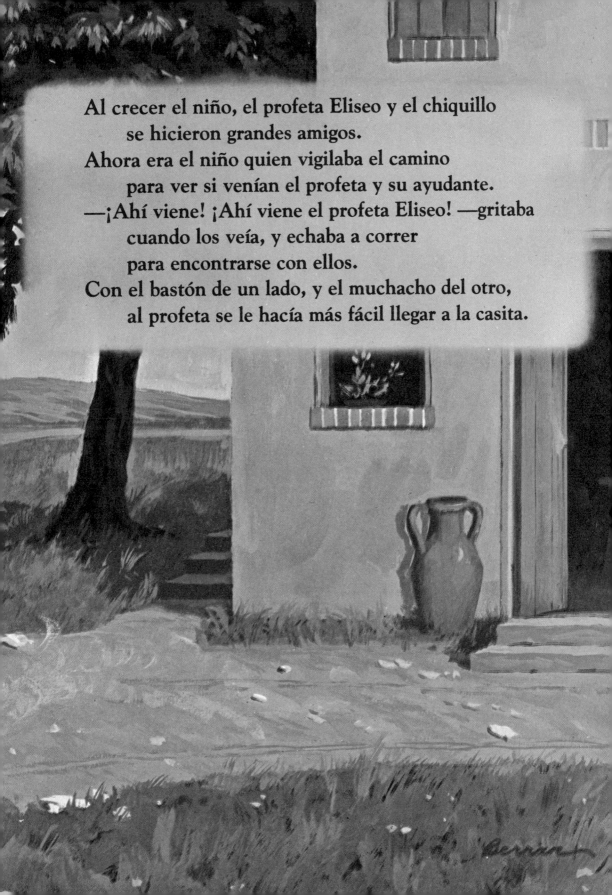

Al crecer el niño, el profeta Eliseo y el chiquillo
     se hicieron grandes amigos.
Ahora era el niño quien vigilaba el camino
     para ver si venían el profeta y su ayudante.
—¡Ahí viene! ¡Ahí viene el profeta Eliseo! —gritaba
     cuando los veía, y echaba a correr
     para encontrarse con ellos.
Con el bastón de un lado, y el muchacho del otro,
     al profeta se le hacía más fácil llegar a la casita.

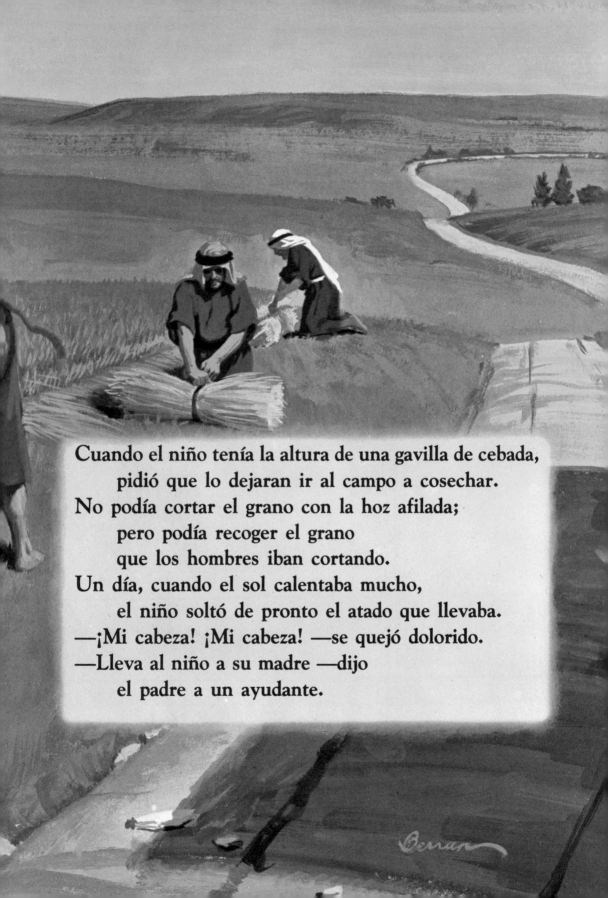

Cuando el niño tenía la altura de una gavilla de cebada,
    pidió que lo dejaran ir al campo a cosechar.
No podía cortar el grano con la hoz afilada;
    pero podía recoger el grano
    que los hombres iban cortando.
Un día, cuando el sol calentaba mucho,
    el niño soltó de pronto el atado que llevaba.
—¡Mi cabeza! ¡Mi cabeza! —se quejó dolorido.
—Lleva al niño a su madre —dijo
    el padre a un ayudante.

La sunamita se pasó toda la mañana con su hijo
    refrescándole la cabeza
    con un paño mojado en agua fresca.
Al mediodía la madre vio que el niño ya no respiraba.
Lo subió en brazos a la habitación del profeta
    y lo acostó tiernamente en la cama del profeta.
Entonces llamó a su esposo y le dijo:
—Envíame a un joven con las dos mulas más veloces.
    Deseo ir enseguida a casa del profeta.

La sunamita ensilló una mula
    mientras el joven ensillaba la otra.
—Y ahora a correr —dijo la sunamita—,
    a correr tan rápido como podamos.
Las mulas echaron a correr tan rápido
    que dejaban tras sí una nube de polvo gris.
    La sunamita llegó a la misma puerta del profeta
    y le contó lo que había pasado con el niño
    que él había pedido a Dios.

El profeta Eliseo fue a la casa con la sunamita.
Subió por las escaleras a su cuarto,
    abrió la puerta y allí, acostado en la cama,
    encontró a su amiguito con los ojos cerrados,
    las mejillas pálidas y las manecitas frías.
—Querido Señor, muéstrame lo que debo hacer,
    y haz que el niño viva —oró el profeta.

Berran

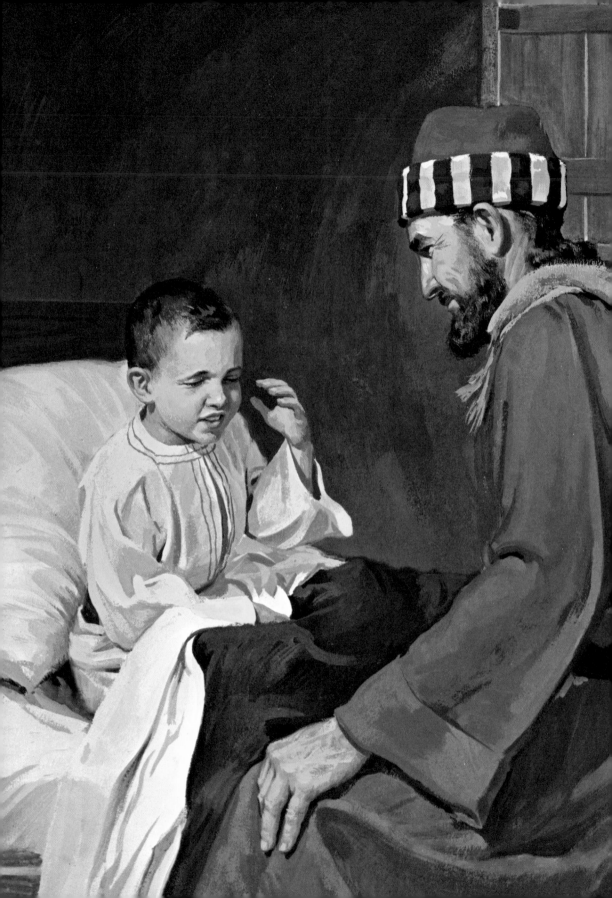

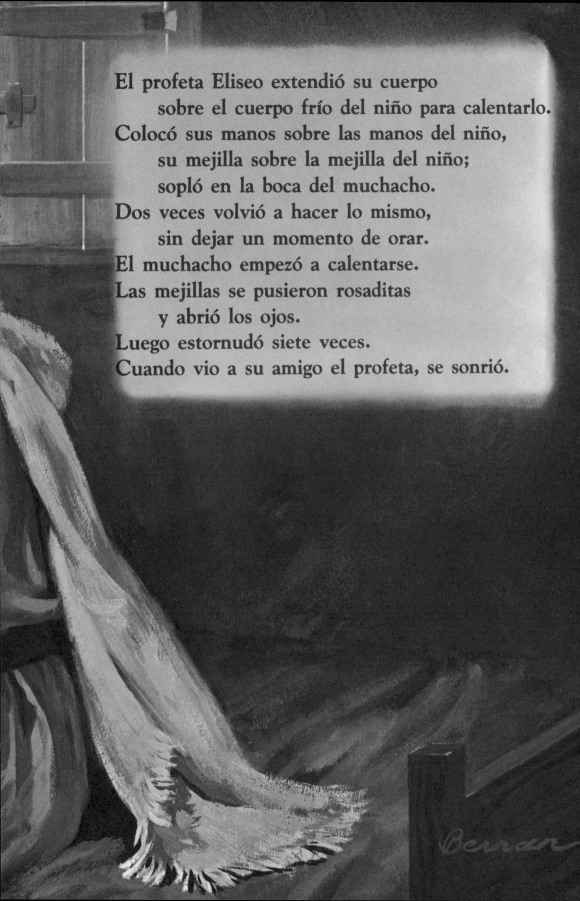

El profeta Eliseo extendió su cuerpo
    sobre el cuerpo frío del niño para calentarlo.
Colocó sus manos sobre las manos del niño,
    su mejilla sobre la mejilla del niño;
    sopló en la boca del muchacho.
Dos veces volvió a hacer lo mismo,
    sin dejar un momento de orar.
El muchacho empezó a calentarse.
Las mejillas se pusieron rosaditas
    y abrió los ojos.
Luego estornudó siete veces.
Cuando vio a su amigo el profeta, se sonrió.

El profeta Eliseo mandó llamar a la madre del niño.
—Toma a tu hijo —le dijo—. Ya está bien.
La mujer se arrodilló delante del profeta.
—¿Cómo haré para agradecérselo? —le preguntó.
—Es Dios quien ha sanado a tu hijo. Dale las gracias
    a El. Toma a tu hijo y vete feliz —dijo el profeta.
La sunamita tomó a su hijo en brazos.
Ya su hijo no era sólo el "regalo de Dios"
    sino también el "sanado por Dios".

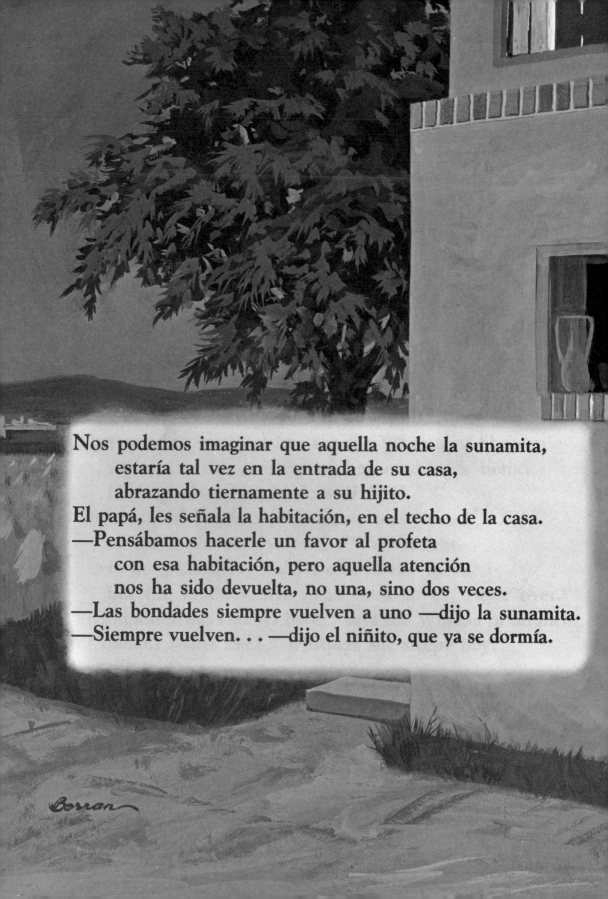

Nos podemos imaginar que aquella noche la sunamita,
estaría tal vez en la entrada de su casa,
abrazando tiernamente a su hijito.
El papá, les señala la habitación, en el techo de la casa.
—Pensábamos hacerle un favor al profeta
con esa habitación, pero aquella atención
nos ha sido devuelta, no una, sino dos veces.
—Las bondades siempre vuelven a uno —dijo la sunamita.
—Siempre vuelven... —dijo el niñito, que ya se dormía.

# Panecillos de cebada y peces

Chiquillo vivía junto a un lago, un profundo lago azul,
    donde su papá salía de noche a pescar.
Por las mañanas, Chiquillo le ayudaba al papá
    a separar el pescado que había en el barco.
Ponían los grandes en un montón
    y los pequeños en otro,
    uno grande, otro pequeño. . .
    uno grande, otro pequeño. . .
Luego, Chiquillo y su papá volvían a casa para desayunar.

En el desayuno, comían panecillos de cebada
A Chiquillo le gustaban los panecillos de cebada.
Eran redondos, duritos y sabrosos.
Los panecillos de cebada le darían fuerzas
    y le ayudarían a crecer alto y fuerte.
Entonces él también podría pescar en el lago.

Una mañana Chiquillo vio que pasaba cerca de su casa,
    por la orilla del lago, mucha, mucha gente.
Iban en busca de Jesús.
—¿Me dejas ir, mamá? —preguntó a la madre.
—Cómo no, hijito. Te voy a preparar un almuerzo,
    pues la larga caminata sin duda te abrirá el apetito.
La mamá de Chiquillo metió dentro de una canastita
    cinco panecillos de cebada
    y dos pescaditos.

La mamá le dio la canastita a Chiquillo
para que la llevara en su caminata junto al lago.
Chiquillo dio un beso a su mamá y se fue.
La hierba le hacía cosquillas
en los pies descalzos,
alguna espinita lo incomodaba
o lo quemaba alguna piedra calentada por el sol.
¡Qué contento estaba Chiquillo!
Estaba feliz de caminar por la orilla del lago
en una mañana tan soleada,
pero estaba feliz, más que nada,
porque iba a ver a Jesús.

Chiquillo encontró a Jesús en una verde colina,
   contándole a mucha, mucha gente,
   unas historias muy interesantes.
Les hablaba acerca de los animales y los
   pajaritos, y de cómo es el cielo.
Chiquillo escuchaba, y escuchaba.
A veces se le ocurría que debía comer su almuerzo,
   pero siempre esperaba
   una historia más.

M. de V. Lee

—Muchacho, ahí tienes un almuerzo, ¿verdad?
—le preguntó un señor que se llamaba Andrés.

—Sí, señor, tengo aquí cinco panecillos de cebada
y dos pescaditos.

—¿Te gustaría compartir tu almuerzo
con Jesús? —le preguntó Andrés.

—Oh, sí, señor, me gustaría mucho
compartir mi almuerzo con Jesús.

Chiquillo le dio su canastita a Andrés
    y vio como éste se la llevó a Jesús.
Se fijó en la cara sonriente de Jesús.
Entonces oyó que Jesús le decía a la gente:
—Siéntense todos en la hierba,
    que ahora almorzaremos juntos.

Los ojos de Chiquillo se agrandaron de sorpresa.
"Pero no hay suficiente almuerzo
        para todo este gentío
        en mi canastita", pensó para sí.
Estaba por acercarse a Jesús para decirle
        que en la canastita había apenas
        cinco panecillos de cebada y dos pescaditos,
        pero vio que Jesús pedía la bendición
        sobre los alimentos.
Chiquillo también inclinó la cabeza.

Chiquillo vio cómo Jesús sacaba de la canastita
una y otra vez panecillos y pedazos de pescado
para que sus ayudantes repartieran entre la gente.
Chiquillo se acercó para ver mejor.
Andrés le sonrió y le dio un panecillo y un pescadito.
Luego Jesús metió la mano en la canastita otra vez
y sacó más panecillos y pescado.
Una y otra vez
Jesús metía la mano en la canasta
y siempre había panes y pescados.

"¿Cómo puede ser? —pensaba para sí Chiquillo—,
    si en mi canastita sólo había cinco panecillos
    y dos pescaditos?"
Pero Jesús sigue sacando
    más... y más... y aún más...
¡De repente entendió!
La bendición de Jesús había hecho posible
    que hubiera más panecillos... y más pescado.

Cuando ya todos habían comido, Jesús dijo:
—Recojan toda la comida que ha sobrado.
Los ayudantes iban de aquí para allá con sus canastas,
   recogiendo los pedacitos que habían quedado.
Chiquillo se puso a contar las canastas de sobras.
—Una, dos, tres, cuatro, cinco, seis. . . ¡doce canastas!
¡Qué sorpresa! ¡Y todo de su pequeño almuerzo!

Chiquillo se dio prisa para volver a casa
y contarles a la mamá y al papá
cómo Jesús le había dado de comer con su almuerzo
a una multitud grandísima de personas.
Y cómo, cuando todos habían terminado de comer,
había quedado más comida
que la que había cuando empezaron.

M.deV.Lee

Querido Jesús:
Te damos gracias, buen Señor,
    por la comida, y por tu amor.
Haz que hoy queramos ir,
    tu bendición a compartir.

                    Amén.